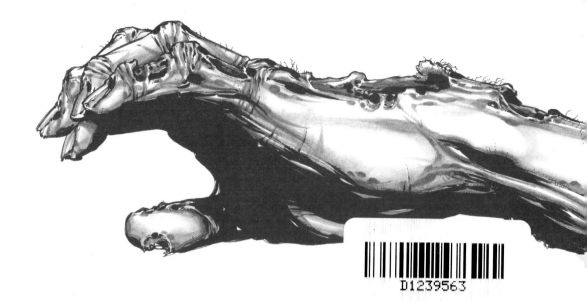

# ATTAQUES RÉPERTORIÉES

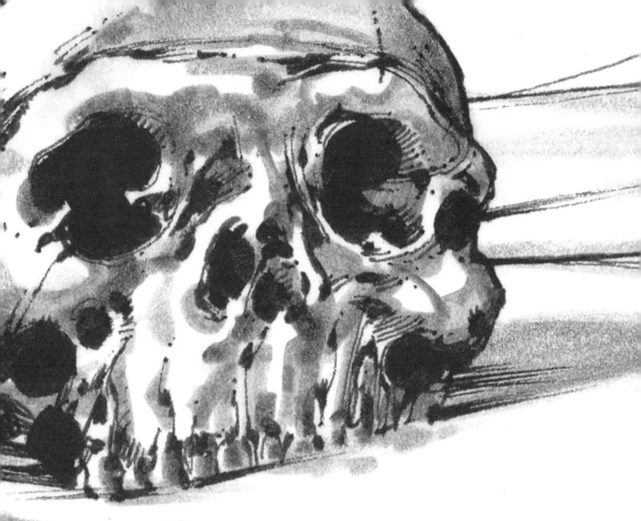

# MAX BROOKS
# ATTAQUES RÉPERTORIÉES

Traduit de l'anglais (États-Unis)
par Patrick Imbert

Calmann-Lévy

Titre original anglais :
THE ZOMBIE SURVIVAL GUIDE
RECORDED ATTACKS
Première publication : Duckworth Overlook, Londres, 2009

© Max Brooks, 2009

Illustrations : Ibraim Roberson
Adaptation française de la maquette : Thierry Müller

Pour la traduction française :
© Calmann-Lévy, 2010

ISBN 978-2-7021-4088-8

À Michelle et Henry,
mes deux piliers.

# SOMMAIRE

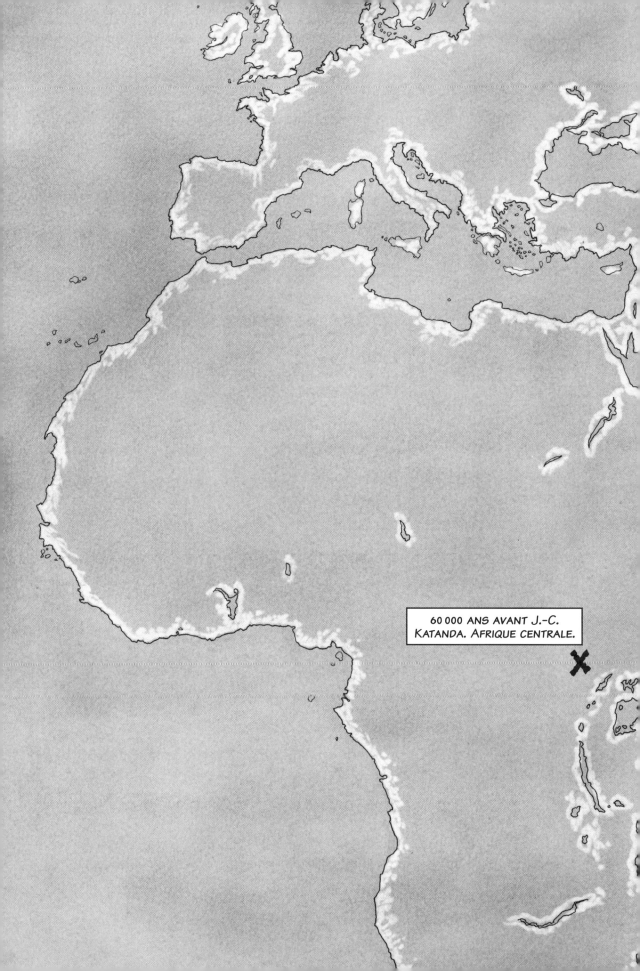

60 000 ANS AVANT J.-C.
KATANDA. AFRIQUE CENTRALE.

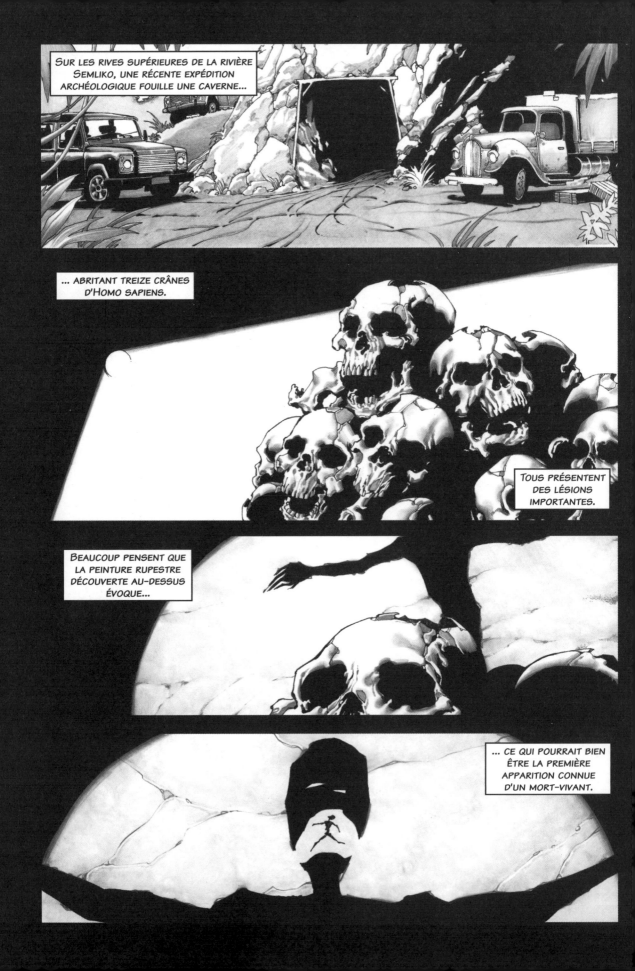

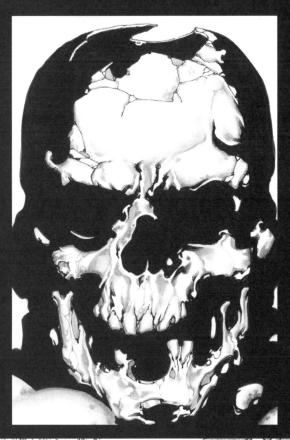

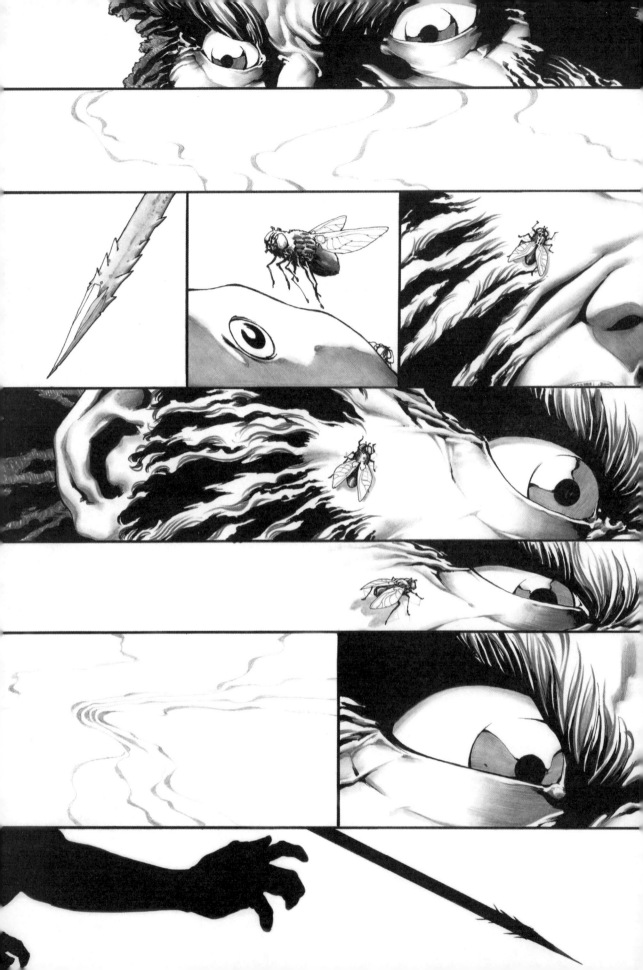

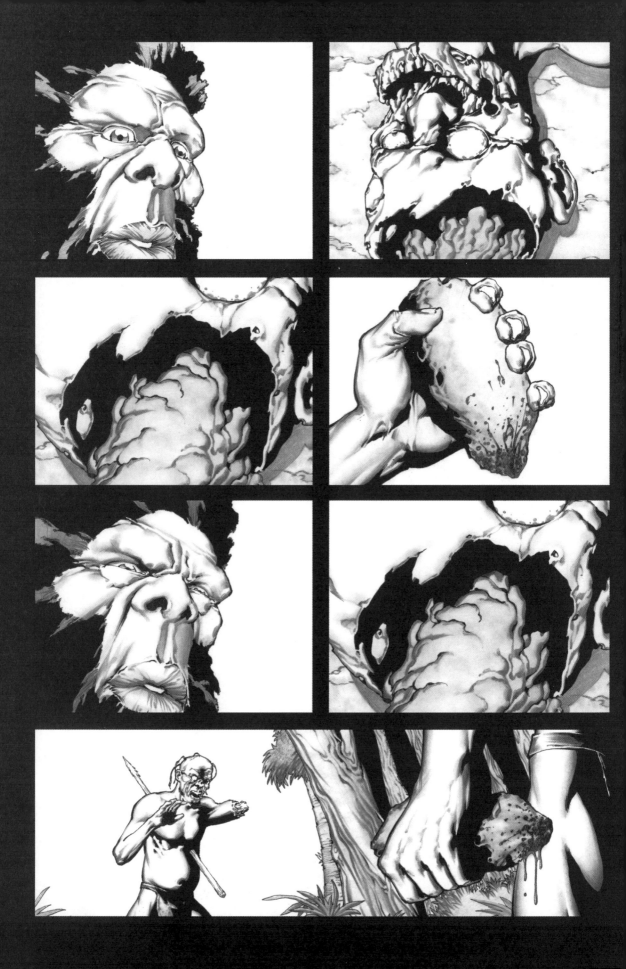

3 000 ANS AVANT J.-C.
HIERACONPOLIS. ÉGYPTE.

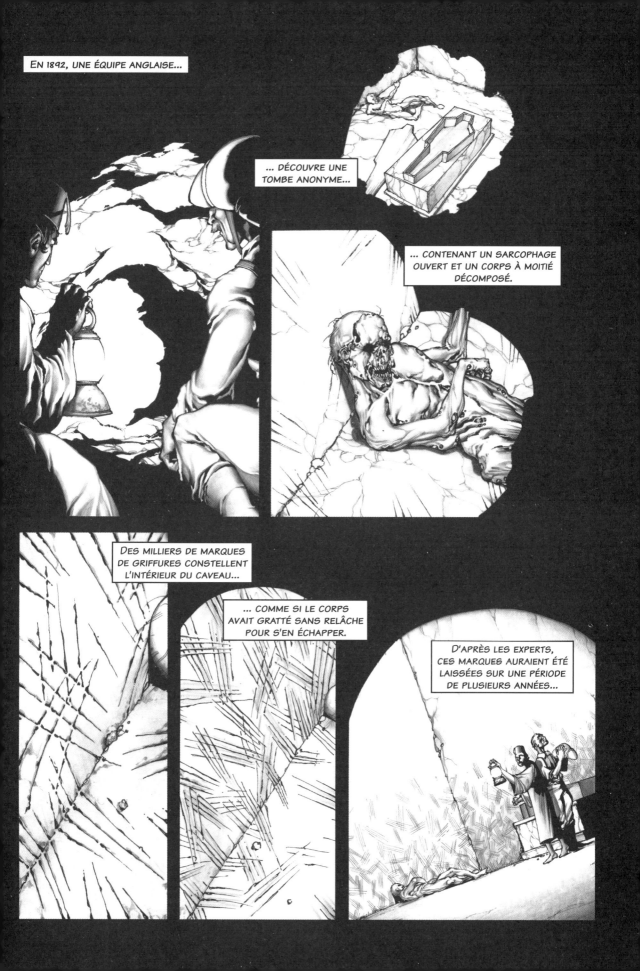

AUJOURD'HUI, LE DÉBAT FAIT RAGE...

... POUR SAVOIR SI CE CAS A ENSUITE POUSSÉ LES EMBAUMEURS À RETIRER...

... LE CERVEAU DES MOMIES.

ON IGNORE SI CETTE COUTUME ÉTAIT PUREMENT CÉRÉMONIELLE...

... OU PRATIQUE.

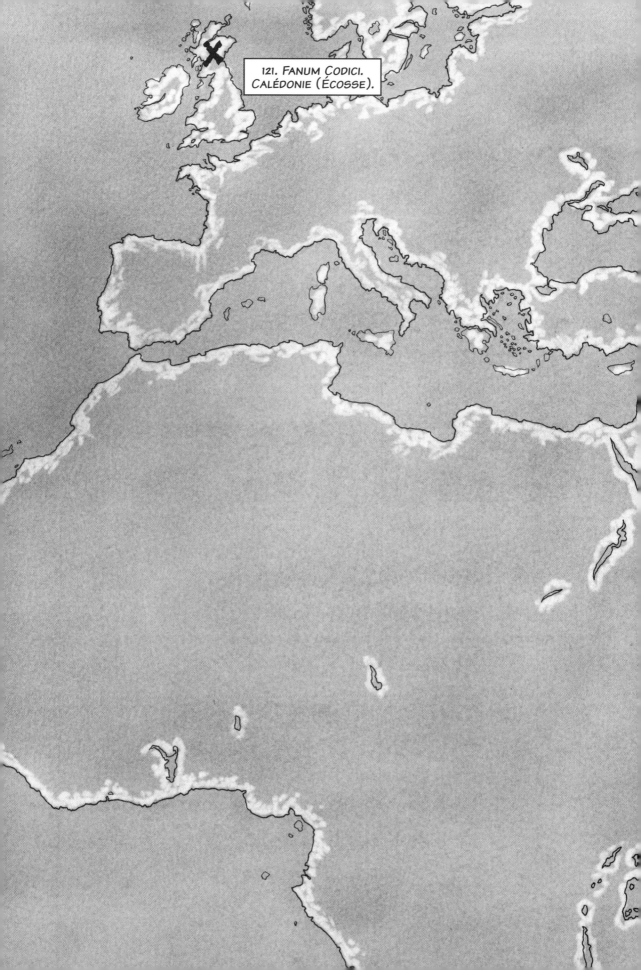

121. Fanum Codici.
Calédonie (Écosse).

LA NATURE DU DANGER ÉCHAPPE CLAIREMENT AU CHEF DU VILLAGE VOISIN...

... QUI PREND LES MORTS-VIVANTS POUR DE SIMPLES DÉMENTS...

... TOUT À FAIT INOFFENSIFS.

UN MARCHAND ROMAIN NOMMÉ
SEXTUS SEMPRONIUS TUBERO...

... ASSISTE À L'UN
DE CES COMBATS.

IL NE SAISIT PAS LA NATURE
DES MORTS-VIVANTS...

... MAIS CONSTATE QUE LA DÉCAPITATION
SEMBLE ÊTRE LA FAÇON LA PLUS
EFFICACE D'ARRÊTER CES CRÉATURES.

TUBERO S'ÉCHAPPE IN EXTREMIS ET REJOINT LA GARNISON ROMAINE LA PLUS PROCHE...

... OÙ IL RACONTE CE QU'IL A VU AU COMMANDANT, MARCUS LUCIUS TERENTIUS.

UNE FOULE DE PLUS DE 9 000 "CRÉATURES" S'APPROCHE...

... ET POURSUIT LES RÉFUGIÉS VERS LE SUD...

... VERS LE TERRITOIRE ROMAIN.

TERENTIUS RASSEMBLE
LES FERMIERS LOCAUX...

... LES MET AUSSITÔT
AU TRAVAIL...

... ET LEUR FAIT CREUSER DEUX
TRANCHÉES CONVERGENTES...

... RENFORCÉES PAR
DES PLANCHES.

CHAQUE TRANCHÉE EST
ENSUITE GARNIE DE PIEUX ET
REMPLIE DE BITUME *LIQUIDUM*
(DU PÉTROLE BRUT).

LES TRANCHÉES SONT À PEINE ACHEVÉES QUAND LES MORTS-VIVANTS ARRIVENT.

JUSQUE-LÀ, TERENTIUS GARDE SA COHORTE DE 480 HOMMES EN RÉSERVE...

... ÉCONOMISANT LEURS FORCES...

... POUR LA LONGUE NUIT QUI S'ANNONCE.

L'ENTONNOIR DE FLAMMES CONDUIT
LES MORTS-VIVANTS VERS UN
UNIQUE PASSAGE ÉTROIT...

... PERMETTANT AUX SOLDATS
PEU NOMBREUX...

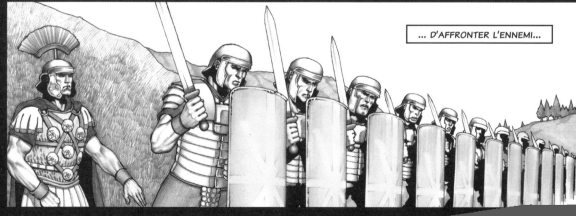

... D'AFFRONTER L'ENNEMI...

... MORDU PAR UN ZOMBIE.

... LES AUTORITÉS APPRENNENT LA LEÇON ET L'INTÈGRENT DANS LA DOCTRINE ROMAINE DE COMBAT...

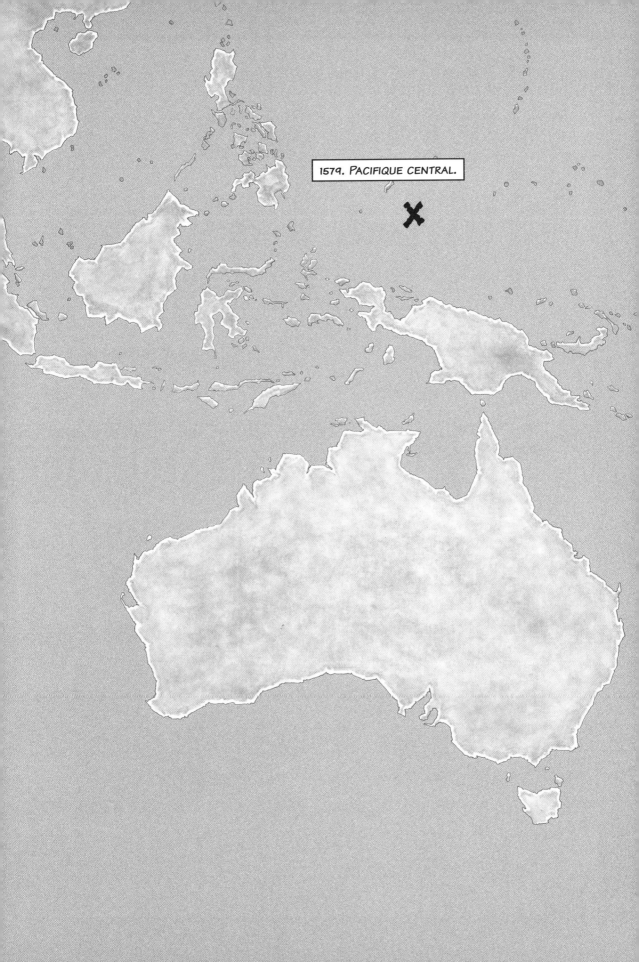

1579. PACIFIQUE CENTRAL.

FASCINÉ PAR CETTE ÉTRANGE CROYANCE...

... DRAKE "CONVAINC LE CHEF DU VILLAGE"...

... DE L'ACCOMPAGNER SUR L'ÎLE ET DE LUI MONTRER CE PRÉTENDU SECRET DE L'IMMORTALITÉ.

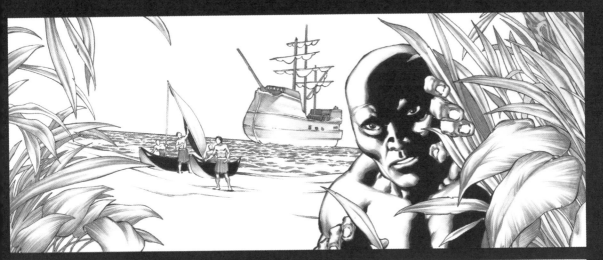

DRAKE CROYAIT
PEUT-ÊTRE
AVOIR DÉCOUVERT
LA VERSION PACIFIQUE
DE LA FONTAINE
DE JOUVENCE.

AUQUEL CAS...

... SES ESPOIRS ONT ÉTÉ RAPIDEMENT DÉÇUS.

1583. SIBÉRIE.

PENDANT L'EXPANSION RUSSE DE L'EUROPE VERS L'ASIE, UNE ÉQUIPE DE RECONNAISSANCE ENVOYÉE PAR LE SINISTRE COSAQUE YERMAK S'ÉLOIGNE DU GROS DES TROUPES ET S'ÉGARE.

LES HOMMES SERAIENT TOUS MORTS DE FROID ET DE FAIM...

... SI UNE TRIBU SIBÉRIENNE NE LES AVAIT PAS ACCUEILLIS.

APRÈS AVOIR DÉVORÉ
LA TOTALITÉ DES RÉSERVES
DE NOURRITURE DU VILLAGE,
LES COSAQUES SE RABATTENT
ENSUITE VERS LES VILLAGEOIS
EUX-MÊMES.

LES COSAQUES ÉPUISENT EN QUELQUES JOURS CETTE NOUVELLE SOURCE DE NOURRITURE ET SE TOURNENT ALORS VERS LE CIMETIÈRE DU VILLAGE...

... OÙ ILS ESPÈRENT QUE LES TEMPÉRATURES GLACIALES...

... ONT CONSERVÉ QUELQUES CADAVRES...

LE SEUL CORPS "FRAIS" EST CELUI D'UNE FEMME D'UNE VINGTAINE D'ANNÉES.

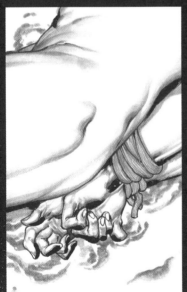

LES MAINS...

... ET LES PIEDS ATTACHÉS...

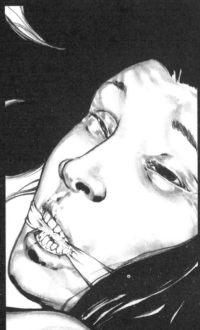

... LA BOUCHE SOIGNEUSEMENT BÂILLONNÉE.

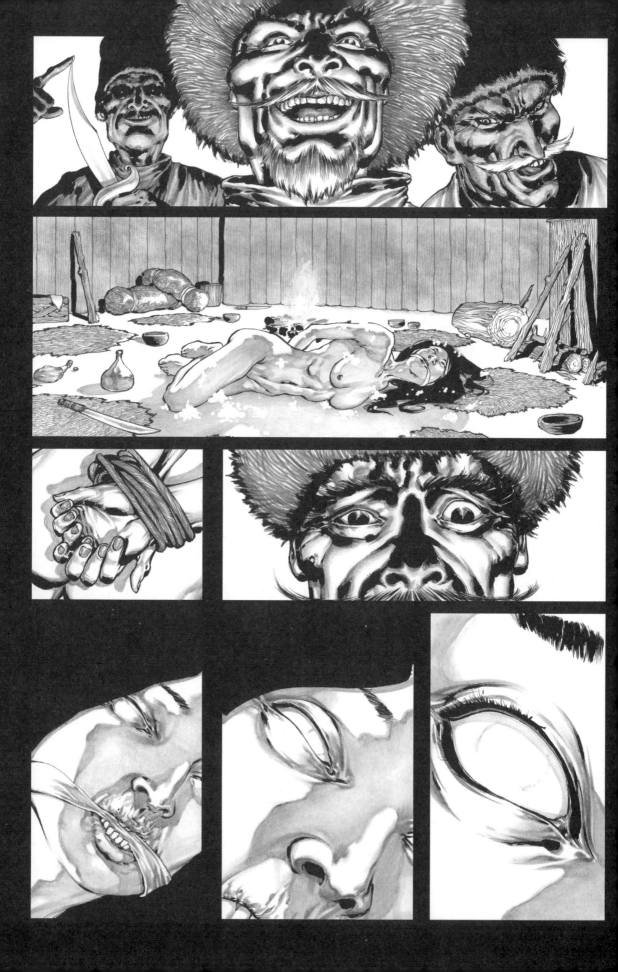

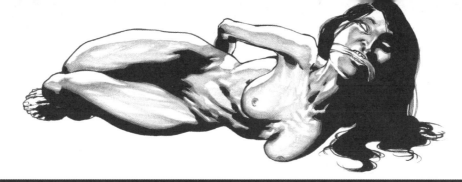

INCAPABLES DE COMPRENDRE
LA NATURE DE CE QU'ILS
VIENNENT DE DÉCONGELER...

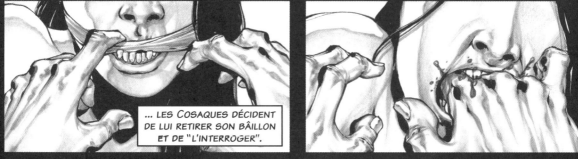

... LES COSAQUES DÉCIDENT
DE LUI RETIRER SON BÂILLON
ET DE "L'INTERROGER".

ILS RÉAGISSENT À
LA MODE COSAQUE...

... DÉCOUPENT LE CORPS
DE LA FEMME...

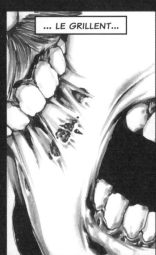

... LE GRILLENT...

... ET LE DÉVORENT
AUSSITÔT.

SEULS DEUX HOMMES
NE PARTICIPENT PAS
AU FESTIN :

LE BLESSÉ, BIEN TROP
MALADE POUR SE NOURRIR...

... ET UN AUTRE, VOYANT
DANS CETTE VIANDE HUMAINE
UNE MALÉDICTION.

L'UNIQUE SURVIVANT RACONTE QU'UN SEUL DE SES CAMARADES — MORDU PAR LA MORTE-VIVANTE — S'EST RÉANIMÉ PEU DE TEMPS APRÈS SA MORT...

... ET A ESSAYÉ DE LE POURSUIVRE...

... AVANT QUE LA TEMPÉRATURE GLACIALE...

... LE GÈLE SUR PLACE.

1611. EDO. JAPON.

"... M'A PARLÉ D'UN HOMME RÉCEMMENT CONVERTI..."

"... QUI FAISAIT JADIS PARTIE D'UNE SOCIÉTÉ SECRÈTE..."

"... APPELÉE LA CONFRÉRIE DE LA VIE*."

\* LES RECHERCHES MONTRENT QUE LE VÉRITABLE NOM DE CETTE ORGANISATION EST TATENOKAI, "LE CERCLE PROTECTEUR".

"IL DIT QUE CETTE SOCIÉTÉ SECRÈTE N'A QU'UN BUT, ÉLIMINER LES CRÉATURES MAUDITES..."

"... SORTIES DE LEUR TOMBE..."

"... POUR SE NOURRIR DE CHAIR HUMAINE."

NOTE HISTORIQUE : UNE FOIS DÉTACHÉES DU CORPS, LES TÊTES DE ZOMBIES SONT INCAPABLES DE "GÉMIR"...

... CE QUI FAIT DU RÉCIT DU PÈRE MENDOZA UNE SIMPLE HYPERBOLE...

... OU LA PREUVE D'UNE TORTURE PSYCHOLOGIQUE PROFONDE...

... DANS LAQUELLE LE GÉMISSEMENT IMAGINAIRE DES TÊTES EST LE FRUIT...

... DE LA TERREUR LA PLUS CRUE.

IL S'AGIT SANS DOUTE DE LA FAÇON DONT LA CONFRÉRIE TESTAIT L'APLOMB DE SES HOMMES FACE AUX MORTS-VIVANTS.

SOIT LES JEUNES RECRUES SUCCOMBAIENT À LA PEUR...

... SOIT...

... ELLES LA MAÎTRISAIENT.

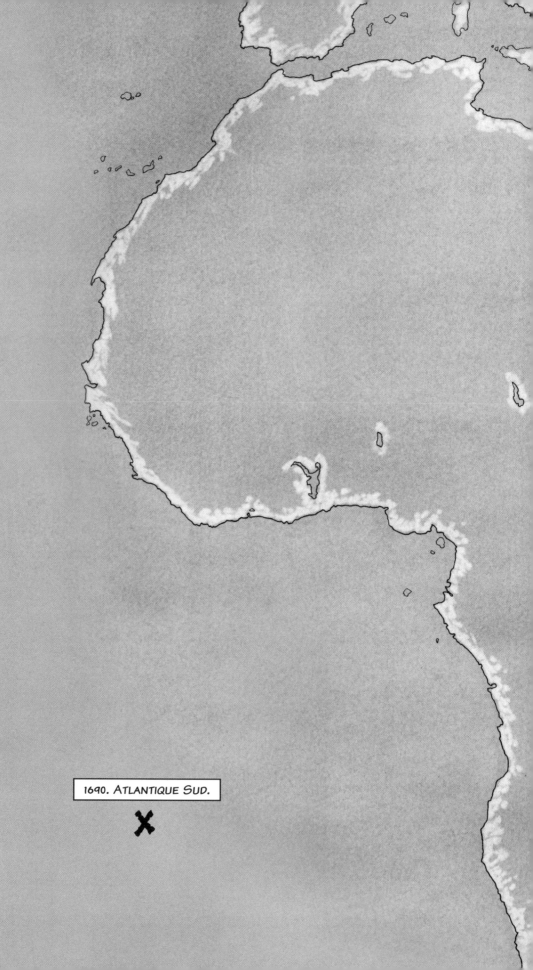

1690. Atlantique Sud.

LE NÉGRIER PORTUGAIS
MARIALVA...

... QUITTE LE PORT
DE BISSAU, EN AFRIQUE
DE L'OUEST, POUR
RECIFE, AU BRÉSIL...

... AVEC À SON BORD...

... UNE CARGAISON
D'ESCLAVES AFRICAINS.

LE BÂTIMENT
DISPARAÎT
AU MILIEU
DE L'OCÉAN.

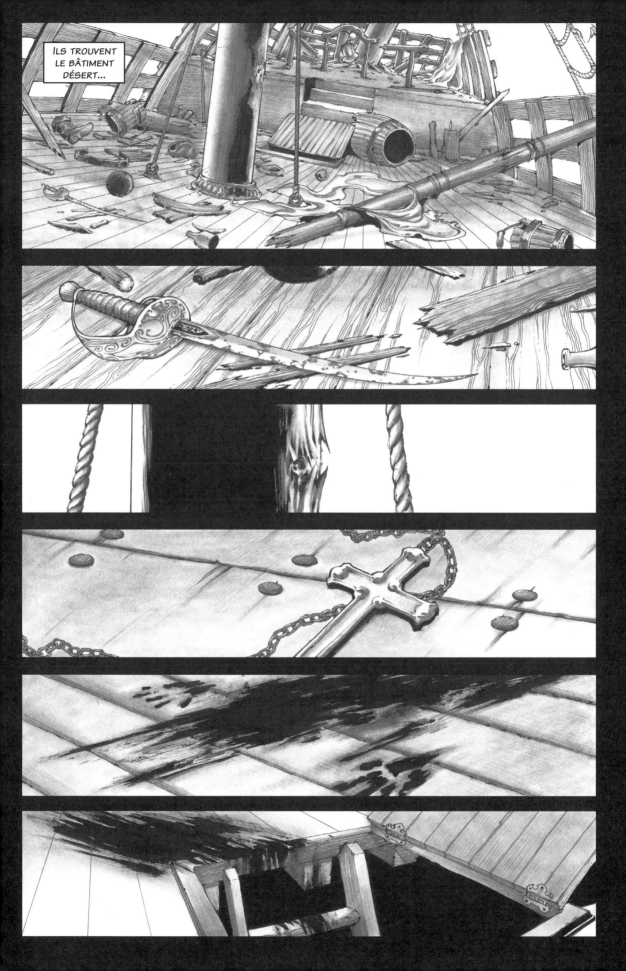

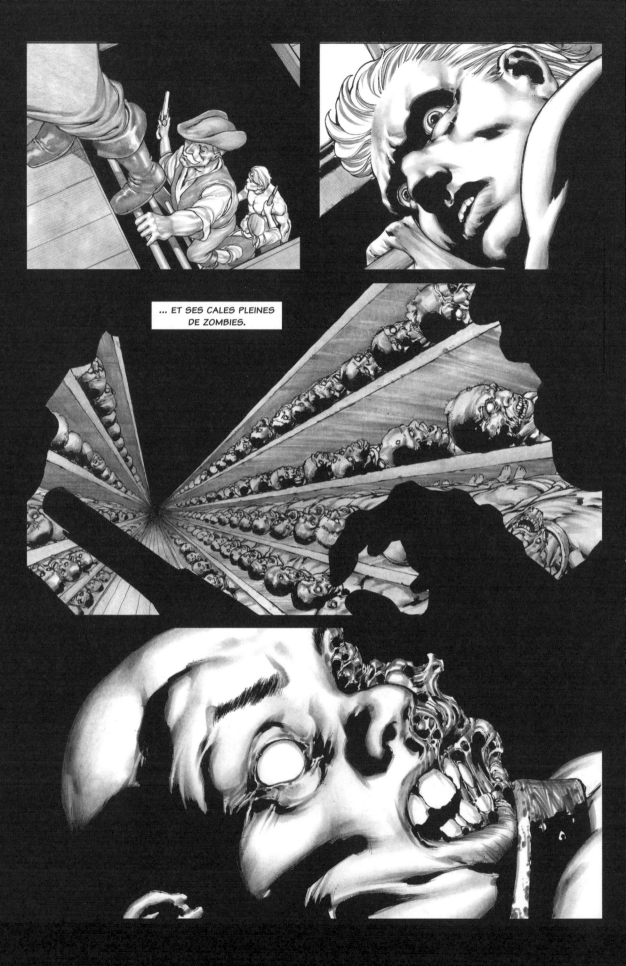

... ET SES CALES PLEINES
DE ZOMBIES.

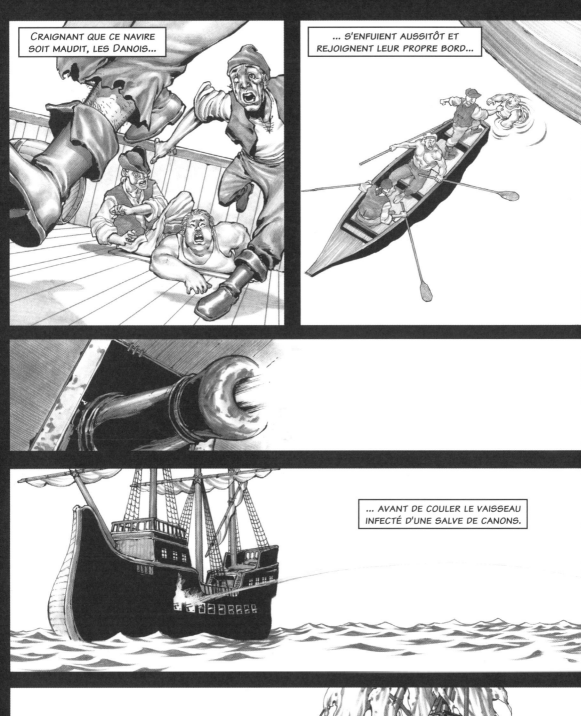

CRAIGNANT QUE CE NAVIRE SOIT MAUDIT, LES DANOIS...

... S'ENFUIENT AUSSITÔT ET REJOIGNENT LEUR PROPRE BORD...

... AVANT DE COULER LE VAISSEAU INFECTÉ D'UNE SALVE DE CANONS.

LES DANOIS N'ONT RAPPORTÉ AUCUNE ARCHIVE ÉCRITE DU *MARIALVA*. IL EST IMPOSSIBLE DE SAVOIR COMMENT L'ÉPIDÉMIE S'EST DÉCLARÉE.

LE PORTEUR INITIAL DEVAIT ÊTRE L'UN DES AFRICAINS CAPTURÉS.

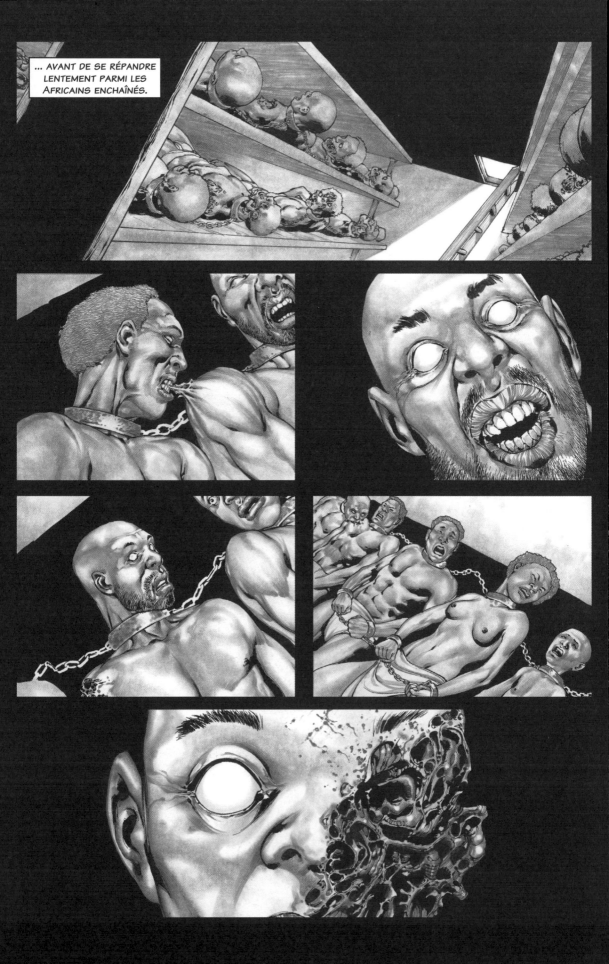

... AVANT DE SE RÉPANDRE LENTEMENT PARMI LES AFRICAINS ENCHAÎNÉS.

ON IGNORE TOUT DE CE QUI S'EST RÉELLEMENT PASSÉ À BORD DU NÉGRIER PORTUGAIS...

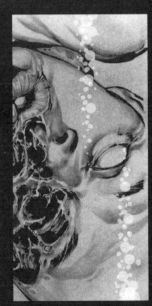

... COMME ON IGNORE CE QU'EST DEVENUE LA CARGAISON.

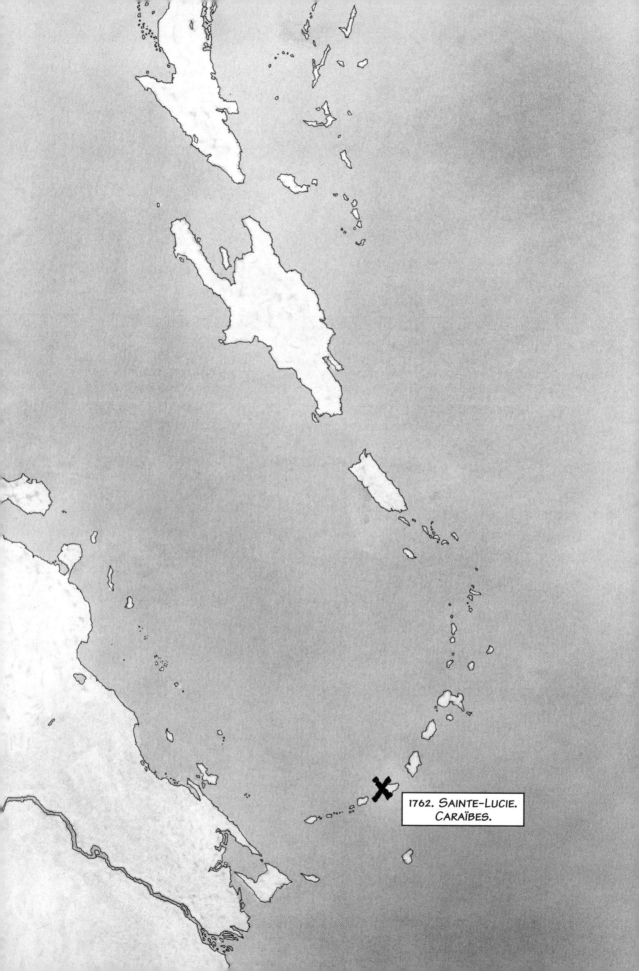

1762. SAINTE-LUCIE.
CARAÏBES.

LES PREMIERS SUJETS RÉANIMÉS SONT APPRÉHENDÉS...

... ET EMPRISONNÉS.

LES BLANCS MORDUS SONT RENVOYÉS CHEZ EUX SANS TRAITEMENT...

... ET SANS SAVOIR CE QUI LES ATTEND.

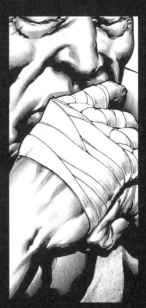

CONTRAIREMENT AUX COLONS EUROPÉENS, LES DESCENDANTS DES AFRICAINS SAVENT EXACTEMENT À QUOI ILS ONT AFFAIRE.

DANS CHAQUE PLANTATION, LES ESCLAVES...

... S'ORGANISENT EN UNITÉS DISCIPLINÉES...

... S'ALLIENT AUX NOIRS AFFRANCHIS ET AUX MULÂTRES...

... ET COMMUNIQUENT À L'AIDE DE TAMBOURS.

ILS COORDONNENT LE NETTOYAGE DE L'ÎLE...

... ET LIBÈRENT SAINTE-LUCIE EN SEPT JOURS.

LES RAPPORTS OFFICIELS DE LONDRES ET DE PARIS CLASSENT L'INCIDENT COMME UNE "RÉVOLTE D'ESCLAVES".

TOUS LES ESCLAVES RETROUVENT AUSSITÔT LEURS CHAÎNES ET LEURS PLANTATIONS.

LES NOIRS AFFRANCHIS ET LES MULÂTRES SONT PENDUS.

AUCUN DOCUMENT NE MENTIONNE L'EXISTENCE DES MORTS-VIVANTS.

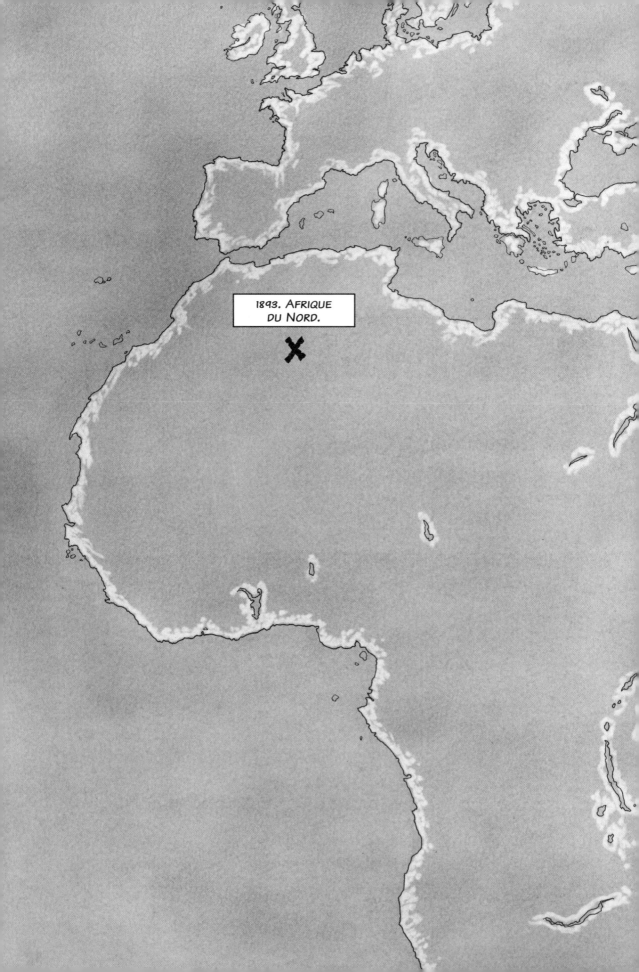

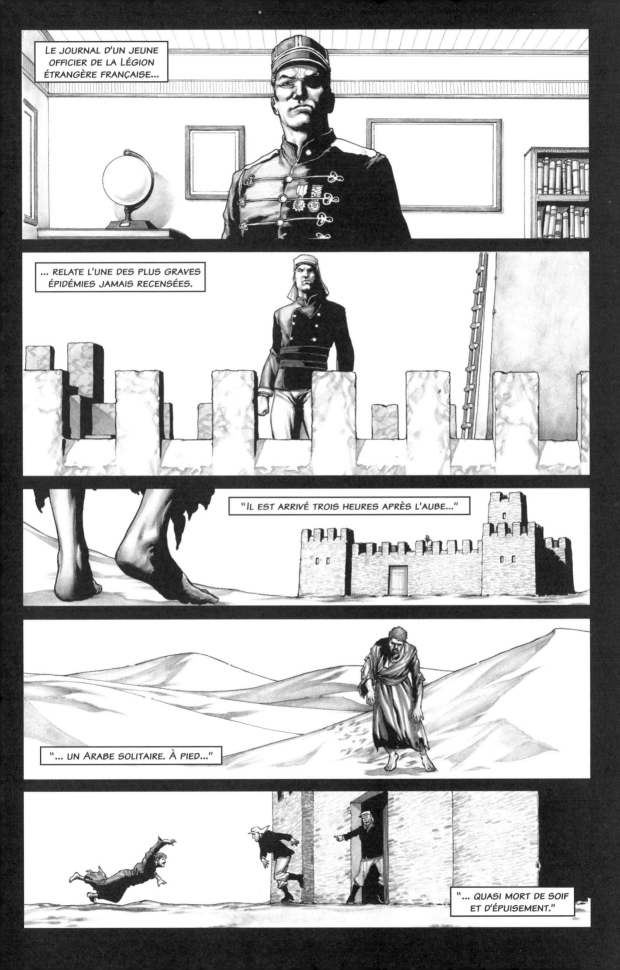

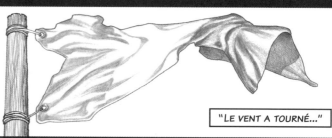

"LE VENT A TOURNÉ..."

"... ET NOUS A APPORTÉ..."

"... D'ABORD LEURS GÉMISSEMENTS..."

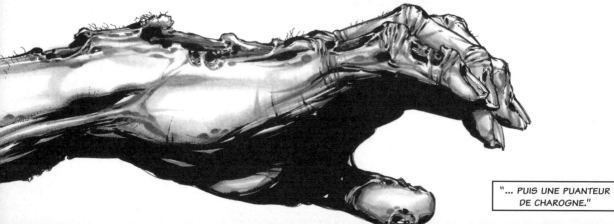

"... PUIS UNE PUANTEUR DE CHAROGNE."

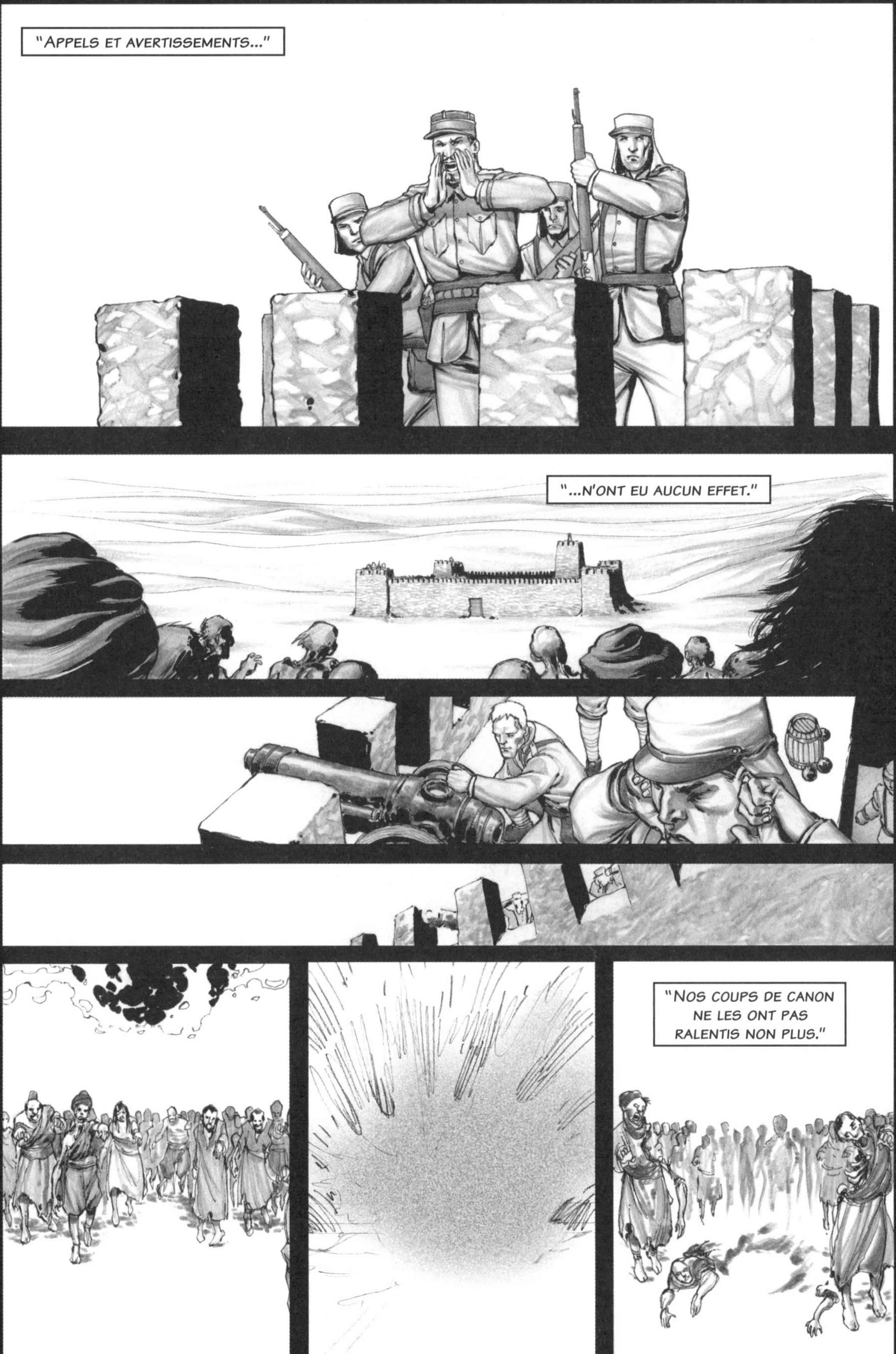

"APPELS ET AVERTISSEMENTS..."

"...N'ONT EU AUCUN EFFET."

"NOS COUPS DE CANON NE LES ONT PAS RALENTIS NON PLUS."

"MÊME LES TIRS À LONGUE PORTÉE SEMBLAIENT INEFFICACES."

"LE CAPORAL STROM EST PARTI POUR BIR-EL-KSAIB..."

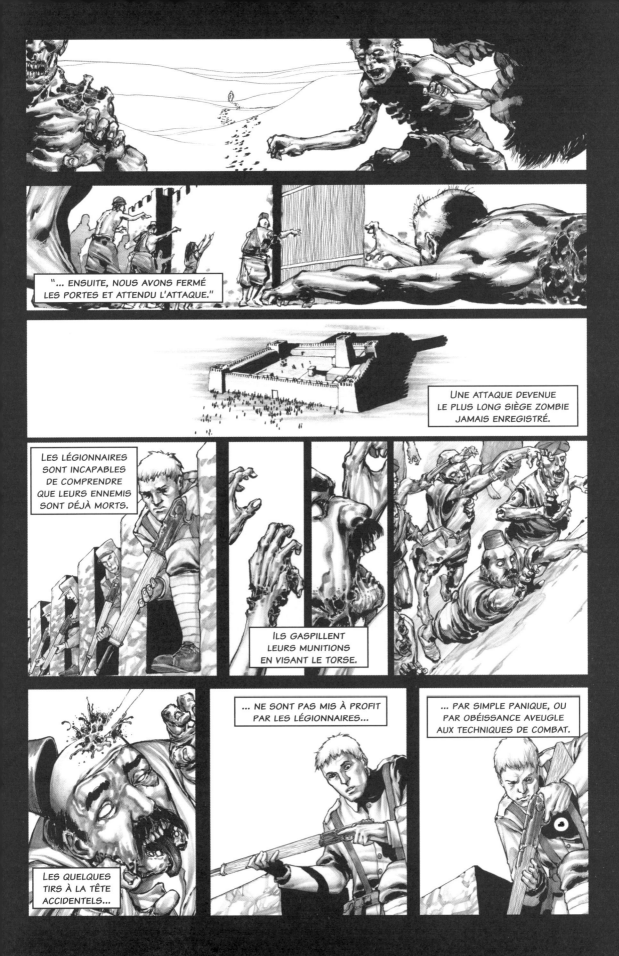

"... ENSUITE, NOUS AVONS FERMÉ LES PORTES ET ATTENDU L'ATTAQUE."

UNE ATTAQUE DEVENUE LE PLUS LONG SIÈGE ZOMBIE JAMAIS ENREGISTRÉ.

LES LÉGIONNAIRES SONT INCAPABLES DE COMPRENDRE QUE LEURS ENNEMIS SONT DÉJÀ MORTS.

ILS GASPILLENT LEURS MUNITIONS EN VISANT LE TORSE.

LES QUELQUES TIRS À LA TÊTE ACCIDENTELS...

... NE SONT PAS MIS À PROFIT PAR LES LÉGIONNAIRES...

... PAR SIMPLE PANIQUE, OU PAR OBÉISSANCE AVEUGLE AUX TECHNIQUES DE COMBAT.

EN VAIN.

LES MORTS-VIVANTS ASSIÈGENT TOUJOURS LE FORT...

... POUSSANT CERTAINS HOMMES AU SUICIDE...

... ET D'AUTRES...

... À SE JETER DU HAUT DES REMPARTS POUR TENTER DE FUIR.

ILS NE VONT PAS BIEN LOIN.

LES ARCHIVES DE LA LÉGION ÉTRANGÈRE FRANÇAISE NE FONT PAS ÉTAT DU SIÈGE...

... ET N'EXPLIQUENT PAS POURQUOI FORT LOUIS-PHILIPPE N'A JAMAIS REÇU DE RENFORTS.

UNE FOIS LES SURVIVANTS ARRIVÉS DANS LA GARNISON LA PLUS PROCHE, TOUS ONT ÉTÉ ACCUSÉS DE DÉSERTION ET DÉPORTÉS EN GUYANE.

AUCUNE EXPÉDITION N'A PLUS JAMAIS ÉTÉ ENVOYÉE DANS LA FORTERESSE. NI PAR LES FRANÇAIS, NI PAR LE GOUVERNEMENT INDÉPENDANT ALGÉRIEN.

FIN.

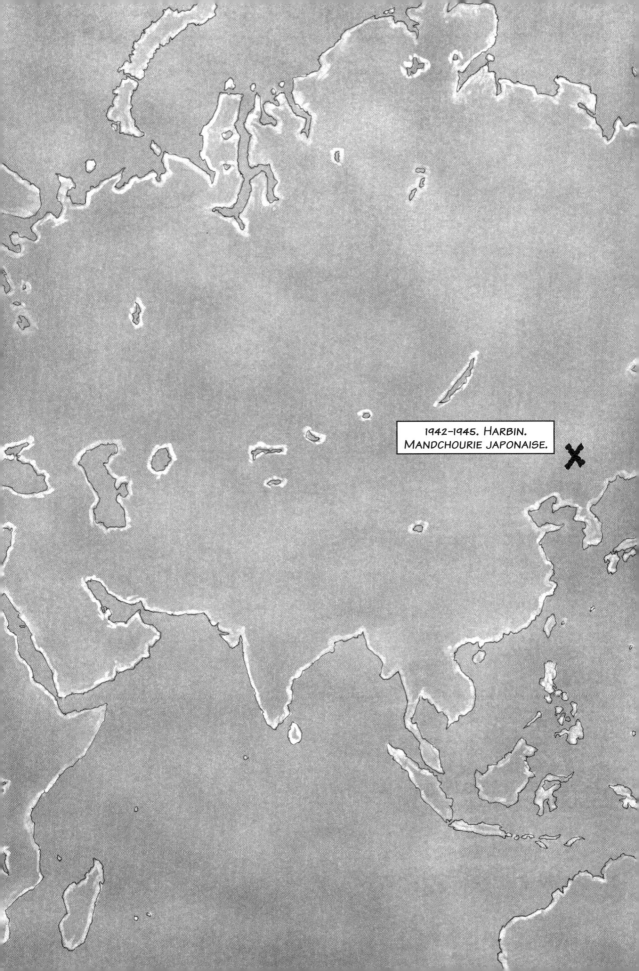

1942-1945. HARBIN.
MANDCHOURIE JAPONAISE.

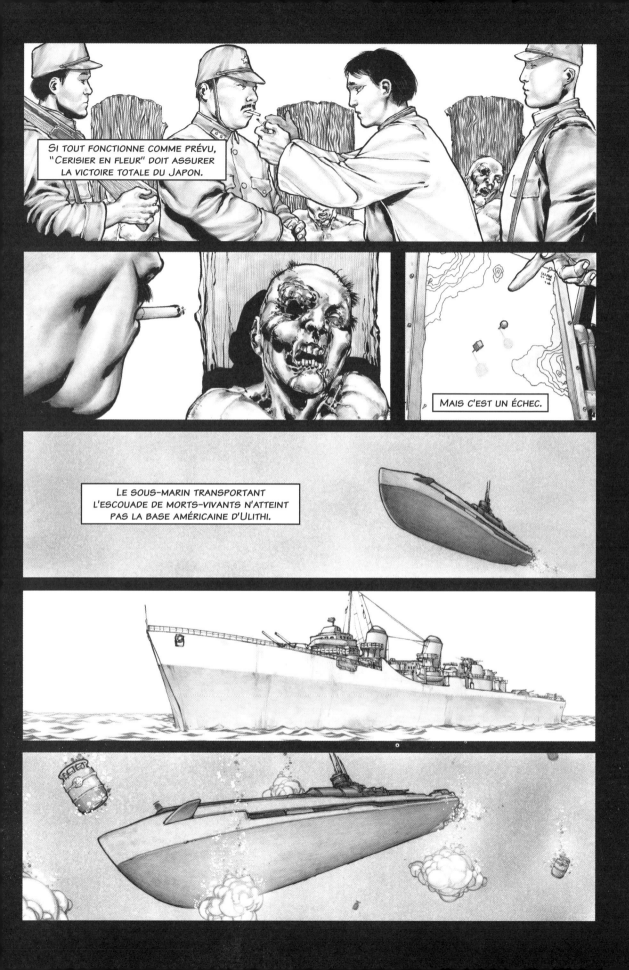

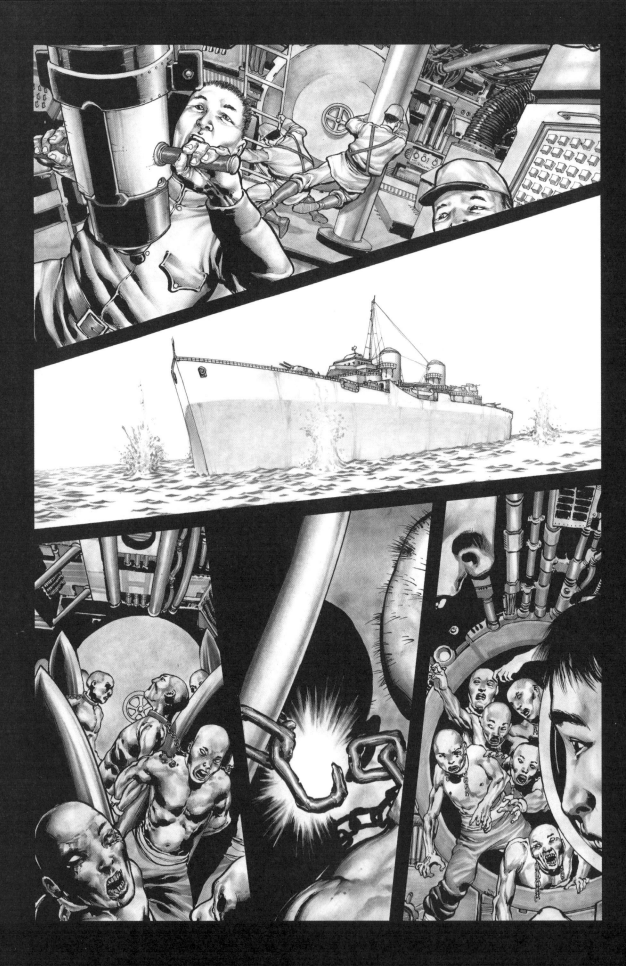

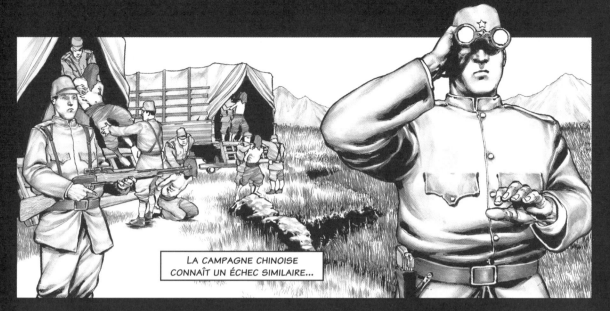

LA CAMPAGNE CHINOISE CONNAÎT UN ÉCHEC SIMILAIRE...

... POUR DES RAISONS ÉVIDENTES.

LES ZOMBIES PARACHUTÉS N'ONT PAS PLUS DE SUCCÈS. LES ZONES "CIVILES" CHOISIES POUR CIBLES SONT DÉJÀ ENVAHIES...

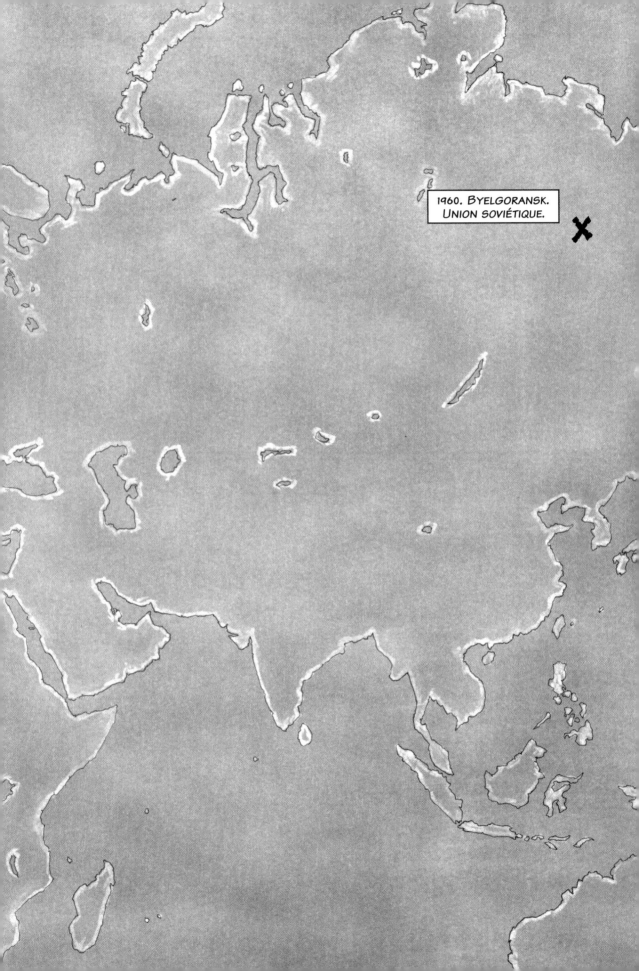

1960. BYELGORANSK.
UNION SOVIÉTIQUE.

QUINZE ANS PLUS TÔT...

... ON SOUPÇONNE...

... QUE LORS DE LA PERCÉE SOVIÉTIQUE EN MANDCHOURIE...

...À LA FIN DE LA SECONDE GUERRE MONDIALE...

... CERTAINS DOCUMENTS...

... CONCERNANT L'OPÉRATION "CERISIER EN FLEUR"...

... SONT RÉCUPÉRÉS EN SECRET...

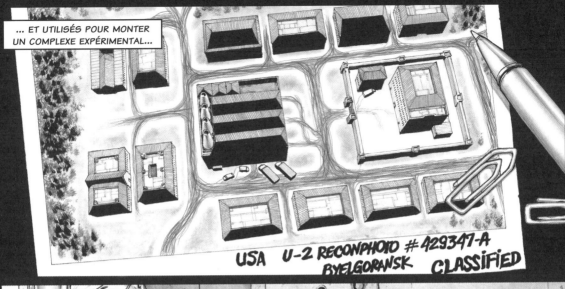

... ET UTILISÉS POUR MONTER UN COMPLEXE EXPÉRIMENTAL...

USA U-2 RECONPHOTO #429347-A BYELGORANSK CLASSIFIED

... ET CRÉER UNE ARMÉE DE MORTS-VIVANTS...

... EN PRÉVISION DE LA TROISIÈME GUERRE MONDIALE.

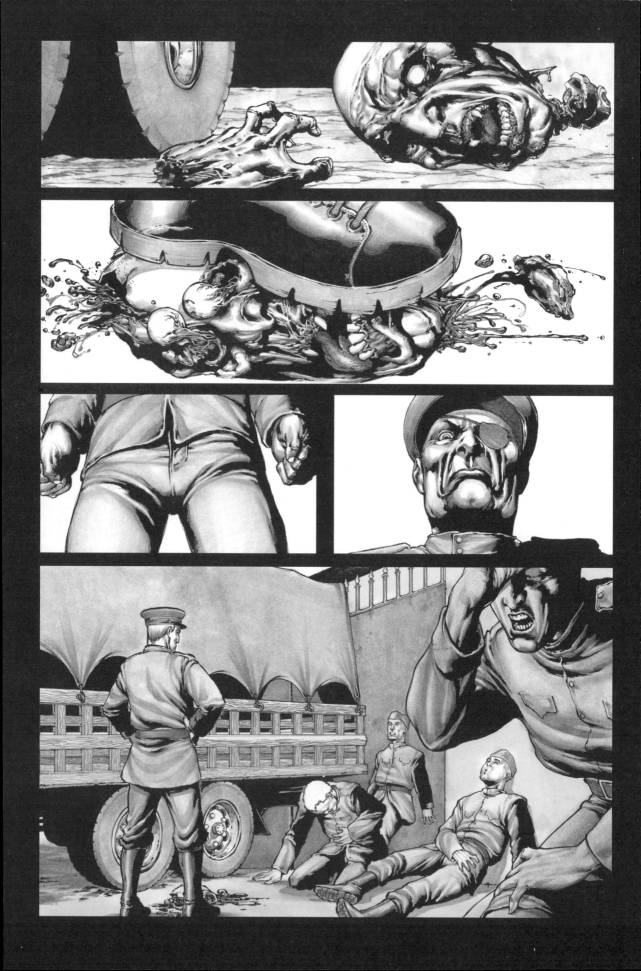

TROIS JOURS AVANT LES PREMIÈRES GELÉES D'AUTOMNE...

... L'OPÉRATEUR RADIO DE BYELGORANSK ANNONCE AVOIR REPÉRÉ UN AVION. UN SEUL.

AUCUN AUTRE RAPPORT NE SERA PLUS ENVOYÉ.

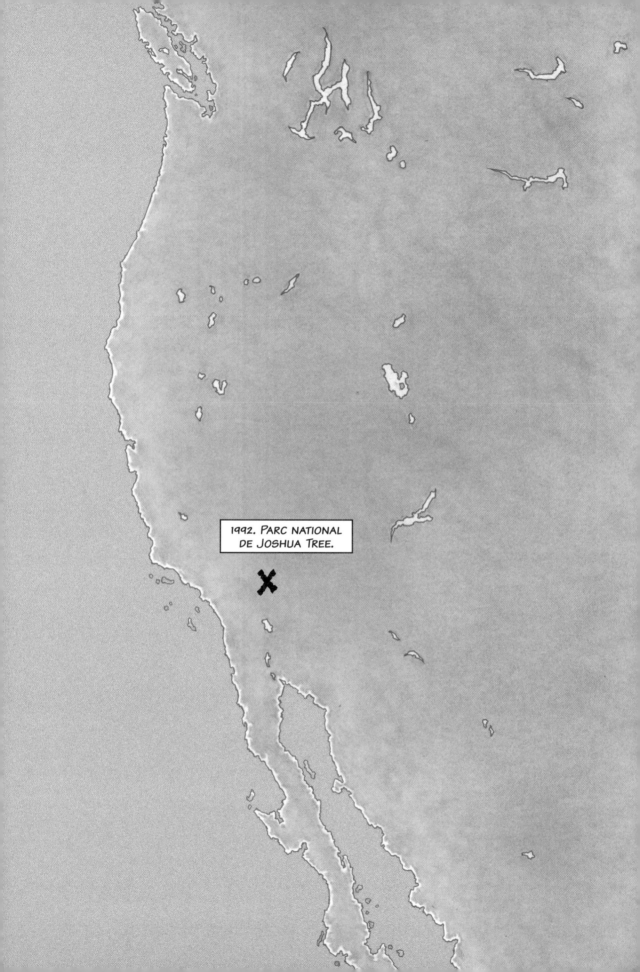

1992. PARC NATIONAL
DE JOSHUA TREE.

PLUSIEURS PROMENEURS ET RANDONNEURS
EN VISITE DANS LE PARC SIGNALENT UNE
TENTE ABANDONNÉE AVEC TOUT SON
MATÉRIEL, PRÈS DE LA ROUTE PRINCIPALE.

LES RANGERS CONSTATENT QU'IL S'AGIT DE SHARON PARSONS, DOMICILIÉE À OXNARD, EN CALIFORNIE...

... PARTIE CAMPER QUELQUES JOURS DANS LE PARC AVEC SON AMI PATRICK MACDONALD.

ET MÊME SI PERSONNE NE RETROUVE LE CORPS DE MACDONALD...

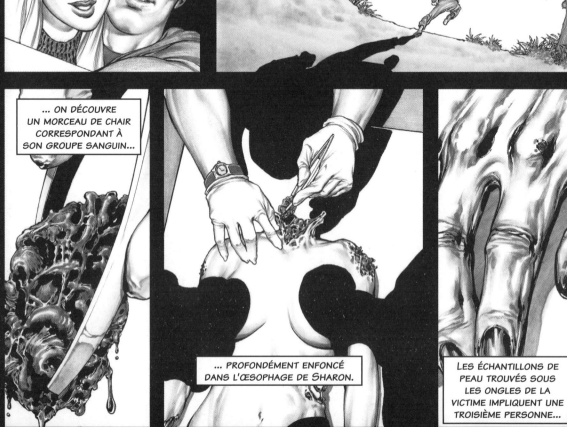

... ON DÉCOUVRE UN MORCEAU DE CHAIR CORRESPONDANT À SON GROUPE SANGUIN...

... PROFONDÉMENT ENFONCÉ DANS L'ŒSOPHAGE DE SHARON.

LES ÉCHANTILLONS DE PEAU TROUVÉS SOUS LES ONGLES DE LA VICTIME IMPLIQUENT UNE TROISIÈME PERSONNE...

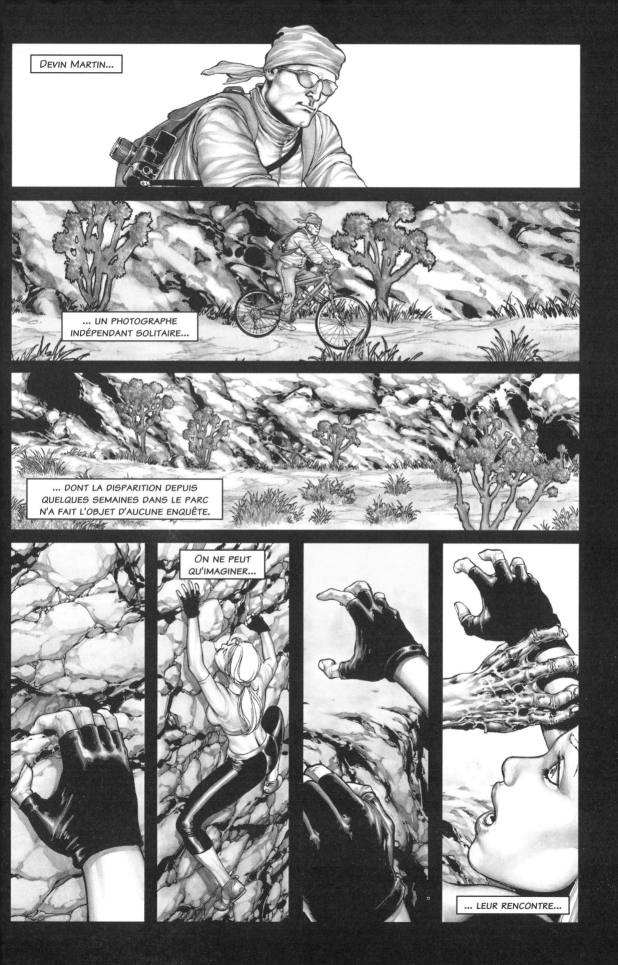

... ET L'ENCHAÎNEMENT DES ÉVÉNEMENTS.

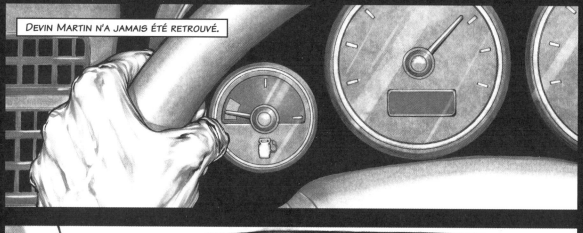

DEVIN MARTIN N'A JAMAIS ÉTÉ RETROUVÉ.

PATRICK MACDONALD NON PLUS.

CEPENDANT, À DIAMOND BAR, LES CAMÉRAS DE VIDÉOSURVEILLANCE D'UNE STATION-SERVICE ONT FILMÉ UN HOMME QUI RESSEMBLAIT À MACDONALD.

SA VOITURE A ÉTÉ APERÇUE POUR LA DERNIÈRE FOIS ROULANT VERS L'OUEST.

VERS LOS ANGELES.

« Un récit sidérant.
Rarement un ouvrage
nous aura autant
divertis, avec en plus
cette petite impression
de... et si c'était vrai ? »

*L'Écran Fantastique*

**Max Brooks**

# GUIDE DE SURVIE EN TERRITOIRE ZOMBIE

calmann-lévy

« On ne sait jamais ce que
nous réserve l'avenir de l'humanité.
Mieux vaut donc jouer la prudence
et se procurer ce manuel poilant
recensant les mille et un petits trucs
pour échapper (ou au moins essayer)
à une invasion de morts-vivants. »
*Studio Ciné Live*

N° d'édition : 14864/01
Dépôt légal : avril 2010
Imprimé en France par I.M.E. - 25110 Baume-les-Dames